D1538265

Petit lecteur deviendra grand

Bravo! Tu sais lire maintenant.

CE LIVRE APPARTIENT À

Julien

TON NOM

Montréal
capitale mondiale
du livre
2005 |2006|

**Fondation pour
l'alphabétisation**
Comblez le vide

Nous remercions le Conseil des Arts du Canada ainsi que la Société de développement des entreprises culturelles du Québec (SODEC) pour l'aide accordée à notre programme de publication. Nous reconnaissons l'aide financière du gouvernement du Canada par l'entremise du Programme d'aide au développement de l'industrie de l'édition (PADIE) pour nos activités d'édition.

Le Loup de Gouttière
347, rue Saint-Paul
Québec (Québec)
G1K 3X1
Téléphone : (418) 694-2224
Télécopieur : (418) 694-2225
Courriel : loupgout@videotron.ca

Dépôt légal, 3e trimestre 2003
Bibliothèque nationale du Québec
Bibliothèque nationale du Canada
ISBN 2-89529-077-6
Imprimé au Québec

Julia Pawlowicz

Le GRAND OISEAU BLANC

CONTE

Illustrations Julia Pawlowicz

Les petits loups
Le Loup de Gouttière

À Hanna et à Andrzej qui ont un pommier,
et à Ziad qui perd des choses…

CHAPITRE

1

Christian grimpe sur une chaise et ouvre grand la fenêtre de sa chambre. De bon matin, il reste encore de la rosée dans le jardin. Les oiseaux font leur toilette. Tout est calme. Une petite brise s'aventure entre les feuilles du pommier, elle tourbillonne et chatouille le bout du nez de Christian. Le petit garçon rigole. C'est le printemps !

C'est alors que Minou grimpe sur la chaise. S'étire jusqu'au rebord de la fenêtre. Et bondit à l'extérieur ! Oh ! Minou est parti comme une flèche vers le fond de la cour ! Christian n'a même pas eu le temps d'ouvrir la bouche que Minou a disparu ! Le petit garçon appelle son chat :

– Minou ! Minou !

Pas de réponse ! Oh, non ! Christian a perdu son ami ! Il faut dire qu'il perd toujours tout. Maman lui achète un nouveau chapeau ? Le chapeau s'envole avec le premier souffle de vent. La famille va en pique-nique ? Christian perd sa doudou ! Mais cette fois, c'est beaucoup plus grave. Christian a perdu Minou ! Il doit vite le retrouver !

Sur la pointe des pieds, Christian va voir si ses parents dorment encore. Il entend le ronflement de papa. C'est parfait. Le petit garçon sort dans le jardin. Mais sous la haie, derrière les buissons et dans le pommier, il n'y a aucune trace de Minou.

2

La maison de Christian monte la garde près d'une rivière. Elle est entourée de champs dorés. Souvent, le petit garçon s'amuse à se perdre dans la grande forêt de blé bien jaune qui entoure la maison. Et quand il veut s'amuser dans la rivière ou y pêcher des poissons, maman vient avec lui. Elle dit qu'elle aime bien se faire arroser. Mais Christian sait qu'elle vient avec lui parce qu'elle a un peu peur. Elle craint que le courant de la rivière n'emporte le petit garçon loin de la maison.

Mais aujourd'hui, Christian part quand même chercher Minou du côté de la rivière. « Mon chaton avait sûrement soif, se dit-il. Il fait tellement chaud aujourd'hui ! »

Christian saute d'un rocher à l'autre. Doucement, l'eau coule à ses pieds. Christian est très agile ! Il saute haut ! Il tend les bras vers le soleil.

– Quand je serai grand, je serai trapéziste !

Le petit garçon cherche Minou des yeux à chacun de ses bonds. Quelque chose bouge au loin. Il

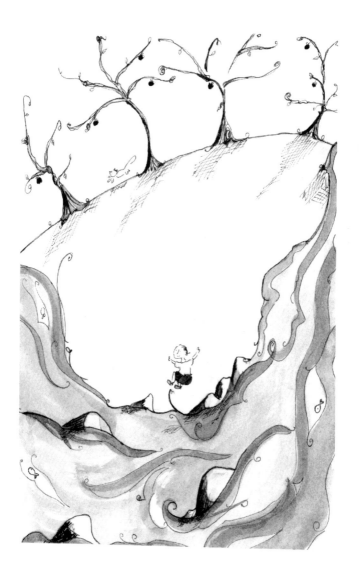

faut voir ce que c'est! Christian accélère le rythme. Il passe d'un rocher à l'autre de plus en plus vite. Il saute de plus en plus haut. Et plus haut, encore! Il bondit comme s'il avait des ressorts aux pieds! Et tout à coup, Christian sent qu'il s'envole!

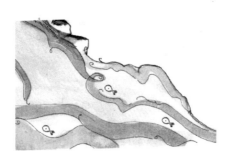

Oh ! Un oiseau immense a agrippé Christian ! Un oiseau tout blanc tient la ceinture du petit garçon entre ses griffes. Quelle surprise ! Le petit garçon respire fort. Il écarquille les yeux et la bouche. Il ne sait pas quoi penser ! Heureusement, l'oiseau ne lui fait pas mal. Et il n'a pas l'air méchant. Il regarde Christian... et lui fait un clin d'œil !

Christian fait alors le plus beau des voyages. La rivère devient un petit ruban bleu vue de haut. Et les champs de blé ne sont plus du tout immenses ! Christian distingue sa maison. Elle n'est qu'un point blanc et rouge au loin. Tout lui semble minuscule !

Christian est tellement émerveillé à la vue du paysage qu'il en oublie d'avoir peur. Il sourit à l'oiseau qui plane doucement entre des nuages bien dodus. Et au fur et à mesure qu'il monte haut dans le ciel, l'oiseau se met à chanter. Sa mélodie berce le petit Christian. Elle lui tient le cœur au chaud pendant qu'il s'éloigne de chez lui.

Le petit garçon est dans le ciel. Il contemple des montagnes, puis une ville et des champs. Ensuite, il aperçoit une forêt, toute noire, toute triste. Christian frissonne un peu.

– Je n'aimerais pas descendre ici, pense Christian.

À ce moment, l'oiseau cesse de battre des ailes. Il se laisse doucement descendre… Enfin, le grand oiseau blanc dépose le petit garçon sur la cime d'un grand arbre très noir, dans un nid de branches. Et tout de suite, il repart au loin.

« **E**st-ce qu'il me laisse vraiment ici ? » se demande le garçon. Hou, hou ! Monsieur l'oiseau ! appelle Christian.

Il s'agrippe au bord du nid.

– Monsieur l'oiseau !

Au bout d'un moment, Christian ne distingue plus l'oiseau qui s'éloigne. Il comprend que l'oiseau ne va pas faire demi-tour. Christian frissonne. Il n'est pas rassuré. Il se tourne et jette un coup d'œil autour de lui. Dans le nid de l'oiseau blanc, il y a un œuf violet. Un très grand œuf. Aussi grand que Christian. Le petit garçon trouve tout cela bien étrange. La forêt autour de l'arbre est sombre et vaste. Une petite peur s'installe alors dans son cœur.

Christian se blottit au fond du nid. Un vent froid souffle. Le garçon appuie son dos contre l'œuf.

Peu à peu, le petit garçon se rend compte que le fond du nid de l'oiseau est très confortable. Il est fait de bouts de tissus de toutes les couleurs. Il est mou.

Chaud. Doux. L'arbre noir est tranquillement bercé par le vent. D'un côté. De l'autre. Christian s'endort presque. Alors, quelque chose sort de derrière l'œuf violet. Se blottit dans son cou. Et ronronne.

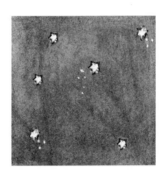

Christian ouvre les yeux : c'est Minou ! Minou est dans le nid du grand oiseau ! Mais qu'est-ce qu'il fait là ? En tout cas, il est vraiment content de revoir son jeune maître ! Il frotte ses moustaches contre la joue du petit garçon. Christian est très heureux d'avoir son ami poilu avec lui. Il a moins peur en sa compagnie.

Maintenant qu'il a retrouvé Minou, Christian aimerait rentrer à la maison. Il ferme les yeux en attendant le retour du grand oiseau. « Il n'y a que lui qui puisse me ramener chez moi », se dit le petit garçon. Mais l'oiseau ne se montre pas. Le soir vient. Christian se blottit contre l'œuf. Et Minou se blottit contre Christian. Et tout le monde dort en boule !

Un petit, tout petit craquement réveille Christian. Quand le garçon ouvre les yeux, il fait noir. Christian se demande s'il a rêvé. Mais non. Quelque chose craque !

– L'arbre va s'effondrer! crie le garçon.

Minou s'est aussi réveillé. Il regarde Christian. Puis l'œuf. Puis Christian de nouveau. Alors le petit garçon comprend que l'arbre n'a rien à voir avec le bruit de craquement. L'œuf violet est en train d'éclater ! Minou et Christian n'osent plus bouger. Tous les deux se demandent ce qui sortira d'un œuf si grand et si bizarre.

L'œuf craque longtemps. Longtemps. Et en plusieurs endroits ! Le petit garçon voit apparaître un bec, une tête, et finalement, un oisillon tout blanc, tout gluant et, surtout, aussi grand que Christian lui-même. L'oiseau regarde le petit garçon. Il regarde Minou. Il est tout mouillé. Il frissonne.

Alors Christian prend un morceau de tissu à ses pieds et couvre l'oisillon géant. Minou gratte son oreille droite avec sa patte de derrière. L'oiseau est bien plus grand que lui! Minou se grattouille doucement. Il ose à peine remuer le bout du nez.

Il fait de plus en plus clair, et le soleil finit par se lever et tout éclairer. Christian remarque alors que l'oisillon est recouvert de sa doudou! Celle qu'il a perdue un

jour de pique-nique ! Comment
est-ce possible ?

Christian n'a pas le temps de se poser beaucoup de questions. Le grand oiseau revient dans de grands battements d'ailes. L'oisillon pousse des gazouillis de joie! Christian et Minou se regardent. « On va peut-être pouvoir rentrer à la maison, se dit Minou. Là où les oiseaux sont plus petits que moi... »

Le grand oiseau se pose doucement sur le rebord du nid.

– Merci, Christian, dit l'oiseau.

Christian est ébahi. L'oiseau parle ! Il connaît son nom ! L'oiseau explique au petit garçon pourquoi il l'a enlevé. Les larmes aux yeux, il raconte à Christian qu'un jour, le feu a fait rougoyer toute la forêt. Et qu'après, les arbres se sont couverts de noir. Et qu'il n'est resté aucune feuille sur leurs branches. Le paysage était froid. Sombre. Triste.

Alors l'oiseau a pondu son œuf dans un nid de bois sec. Puis, il est parti à la recherche des tissus les plus doux pour recouvrir cet œuf. Pour le garder au chaud. Pour le faire éclore. Le grand oiseau blanc a parcouru le monde entier très vite ! Et il a ramené dans son nid les plus doux tissus. Les plus chauds. Ceux dans lesquels s'étaient blottis des enfants les nuits d'orage. Ceux avec lesquels les plus beaux amoureux s'étaient couverts les fraîches soirées d'automne.

Mais voilà, le nid n'était jamais assez chaud. Jamais assez douillet. Et l'œuf était sur le point de se casser. Il fallait se presser ! Alors l'oiseau a fait grimper Minou dans le nid pour que doucement près de l'œuf il ronronne. Puis l'oiseau y a amené Christian pour qu'il y couche la tranquillité de son sommeil d'enfant. Et le grand oiseau blanc est allé chercher la

nuit, pour qu'elle protège de son tissu épais son grand œuf violet. Et voilà. Le grand œuf violet a éclos.

Maintenant, le grand oiseau blanc offre à Christian de le ramener à la maison. Christian est heureux de faire un second voyage dans les airs. Il est content, aussi, d'en connaître la destination ! Cette fois, il tient Minou serré très fort contre lui. L'oisillon blanc suit le grand oiseau qui vole lentement pour l'occasion.

Christian est de retour chez lui. Tout est calme. Papa et maman dorment encore…

TABLE

Chapitre 1...7
Chapitre 2..11
Chapitre 3..15
Chapitre 4..19
Chapitre 5..25
Chapitre 6..29
Chapitre 7..35

L'AUTEURE ET ILLUSTRATRICE

D'origine polonaise, JULIA PAWLOWICZ est une jeune auteure de 22 ans. Elle poursuit actuellement ses études en littérature française à l'Université McGill à Montréal.

Passionnée de dessin, elle a illustré deux livres pour enfants au Loup de Gouttière. *Le Grand oiseau blanc* est sa première publication.

En plus de l'écriture, de la peinture et de l'illustration, Julia aime bien manger des mollusques et gambader dans les champs de coquelicots.

Collection Les Petits Loups

1 • SAMU ♡ Sylvie Nicolas

2 • AU PAYS DES BABOUCHKA ♡ ♡ Sylvie Nicolas

3 • ENCORE UNE LETTRE DU BOUT DU MONDE ♡ ♡ ♡
Raymond Pollender

4 • LES JOURS DE SARAH ♡ ♡ Sylvie Nicolas

5 • UN TRAIN POUR KÉNOGAMI ♡ Hélène de Blois

6 • LE PETIT HOMME BLOND ♡ Roxanne Lajoie

7 • L'OISEAU DE MALIKA ♡ ♡ ♡ Rollande Boivin

8 • L'ENFANT QUI N'AVAIT PAS DE NOM ♡ ♡
Lise-Anne Pilon-Delorme

9 • LES ŒUFS • IL ÉTAIT DOUZE FOIS... ♡ ♡
Collectif

10 • MYSTÈRE ET GOUTTES DE PLUIE ♡ ♡
Louise-Michelle Sauriol

11 • DEUX YEUX JAUNES ♡ ♡ Rollande Boivin

12 • FRIDA ET KAHLO ♡ ♡ Sylvie Nicolas

13 • LES AILES DE LOU ♡ ♡ Gabriel Lalonde

14 • LES RATS D'ÉLODIE ♡ Judith LeBlanc

15 • LE VOYAGE D'ONCLE PATIENT ♡ Christian Matte

16 • LOUNA ET LE DERNIER CHEVALIER ♡ ♡ ♡
Martine Latulippe

17 • MAYA ET MAÏPO ♡ Philippe Jonnaert

18 • PÉRIL AU PAYS DU CHOCOLAT ♡ Judith LeBlanc

19 • UNE DENT CONTRE ÉLOÏSE ♡ ♡ ♡ Hélène de Blois

20 • UN SAMEDI EN AMAZONIE ♡ ♡
Louise-Michelle Sauriol

21 • LES SORTILÈGES DE LA PLUIE ♡ ♡ ♡ Jean Perron

22 • JULIUS VOIT ROUGE ▽ ▽ Roxanne Lajoie

23 • L'ENFANT QUI TISSAIT DES TAPIS 🎐+
Sylvie Nicolas

24 • LE FAISEUR D'IMAGES 🎐+ Jean Deronzier

25 • LOUP-CARAMEL ▽ ▽ Rollande Boivin

26 • MON CHEVAL DE PAPIER ▽ ▽
Brigitte Beaudoin

27 • UN NUAGE DANS LA POCHE 🎐+ Claudine Vézina

28 • 1, 2 ET 3... EN SCÈNE ! ▽ ▽ Hélène de Blois •
François Nobert • Dominique Marier

29 • LE CRI DU GUERRIER : HAROUGAGAWAK ! ▽
Sylvie Nicolas

30 • L'ONCLE L'OURS ▽ ▽ Judith LeBlanc

31 • LA MOMIE DE TANTE CLAUDINE ▽ ▽
Louise-Michelle Sauriol

32 • KOUMI, DES ÉTOILES POUR DÉCORER LA LUNE 🎐+
Sandy Fouchard Falkenberg

33 • J'AI MANGÉ PISTACHE ! ▽ ▽ Marilou Addison

34 • ALERTE DANS LA RUE ! ▽ ▽
Louise-Michelle Sauriol

35 • DANS LE SOUFFLE DE L'ÉTÉ ▽ ▽ ▽ Jean Perron

36 • LA DAME DE LA CAVE ▽ ▽ Sylvie Mercille

37 • LA MUSIQUE DE LA MONTAGNE ▽ ▽ ▽
Caroline Bourgault-Côté

38 • LE CADEAU D'ISAAC ▽ ▽ ▽ Raymond Pollender

39 • ANTOINE, PLUMEAU ET BARBOUILLE ▽ ▽
Claudine Paquet

40 • LE MANOIR DES BRUMES ▽ ▽ ▽ Jean Deronzier

41 • LE GRAND OISEAU BLANC ▽ Julia Pawlowicz

6 ans et plus

7 ans et plus

9 ans et plus

Loup + 10 ans et plus

Achevé d'imprimer
en juillet 2003 sur les presses
de Marc Veilleux Imprimeur
de Boucherville.